Illustrations: Ann De Bode
Réalisation: Projectgroep Van In/Malmberg
Titre original: *Opa duurt ontelbaar lang*

Éditions Van In, Grote Markt 38, B-2500 Lier
Exclusivité au Canada:

2244, rue De Rouen, Montréal, Qué. H2K 1L5
Dépôts légaux: 1er trimestre
Bibliothèque nationale du Québec, **1997**
Bibliothèque nationale du Canada, **1997**
ISBN: 2-89069-529-8

ANN DE BODE • RIEN BROERE

Grand-père est mort

Collection Éclats de Vie

Nicolas sautille vers la maison.
Cet après-midi, il n'a pas classe,
et dans sa tête se dessinent déjà plein d'idées.
Il pourrait construire une cabane, ou jouer au ballon.
Peut-être prendra-t-il son vélo.
Nicolas est de bonne humeur, il se met à chanter.

Par la fenêtre, il regarde à l'intérieur du salon.
Ça alors ! La maison est pleine de gens.
Il y a maman et sa sœur Nanou.
Oncle Luc et tante Henriette sont là aussi.
Il aperçoit grand-mère.
Nicolas entre vite.
"Salut ! crie-t-il. C'est moi."
Tout le monde reste silencieux.

Il se passe quelque chose, pense Nicolas.
Il jette un coup d'œil dans la pièce.
Tous ces gens, normalement,
il ne les voit que lorsqu'il y a une fête.
Mais cette fois, ils n'ont pas l'air joyeux.
Ils regardent dans le vide et soupirent profondément.
Tout d'un coup, Nicolas perd toute sa gaîté.
Un sentiment désagréable monte en lui.

Maman vient vers lui.
Elle s'agenouille et le serre contre elle.
Nicolas regarde le visage de maman.
Ses yeux sont rouges, il y a des traces noires sur ses joues.
"Nicolas, dit-elle, quelque chose de grave est arrivé."
"Oui", répond Nicolas.
Il ne sait pas bien ce qu'il doit dire.
"Grand-père… commence maman, grand-père est mort."

"Mon Dieu ! dit grand-mère. Mon Dieu, mon Dieu !"
Nicolas la regarde, il voudrait l'embrasser.
Il ne trouve pas de mots pour la faire sourire.
"Grand-père est mort", dit-il alors.
"Oui, répond grand-mère doucement. Ton grand-père est mort."
"Pour toujours ?" demande Nicolas.
"Oui, dit grand-mère, quand on meurt, c'est pour toujours."
Toujours, pense Nicolas, c'est vraiment très, très longtemps.

“La journée a commencé normalement”, raconte grand-mère.
Elle hoche la tête. Elle se souvient très bien de tout.
“Grand-père s’est levé le premier, et il a préparé le petit déjeuner.
Puis il m’a donné un gros baiser.
Mais, pendant le petit déjeuner, il s’est levé et il a dit :
‘Je me sens très fatigué.’
‘Va t’étendre un peu, lui ai-je dit, je vais débarrasser la table.’
‘Tu es un amour’, a répondu grand-père.”

“Après un quart d’heure, j’ai eu un drôle de pressentiment,
continue grand-mère. Je suis allée vers le divan.
Grand-père était allongé, très silencieux, très calme,
très paisible. Et j’ai compris qu’il était mort.
Je n’étais pas effrayée, j’ai seulement pensé :
‘Ce n’est pas vrai.’
Je lui ai donné un dernier gros baiser
et ensuite j’ai pleuré, très, très fort.”

Nicolas n’avait encore jamais vu autant de chagrin.
Nanou vient s’asseoir tout près de lui.
Il devine qu’elle voudrait lui dire quelque chose.
“Nicolas, commence-t-elle,
la mécanique de grand-père s’est arrêtée.”
“Mais, grand-père n’était pas un réveille-matin ! dit Nicolas.
“C’est pour t’expliquer, dit Nanou, quand on est mort, tout est fini.”
“Oh ! dit-il, je n’aime pas les histoires qui se terminent comme ça.”

Papa vient d'arriver, plus tôt qu'à l'habitude.
Son visage est pâle. Ses lèvres tremblent.
"Oh, Martin", dit maman à papa.
Elle l'enlace et se met à sangloter.
Ils se serrent très fort.
On sent qu'ils veulent rester proches l'un de l'autre.
Nicolas les regarde,
il ne les a jamais vus si tristes.

Un monsieur qu’il ne connaît pas entre dans la pièce.
Il a un visage très distingué et serre la main de tout le monde.
Celle de Nicolas aussi.
Et il lui dit un mot qu’il ne comprend pas.
“Ce monsieur vient nous aider, dit maman.
Quand quelqu’un meurt, il y a beaucoup de choses à faire.”
“Que va-t-il arriver à grand-père, maintenant ?” demande Nicolas.
Car c’est son grand-père à lui, et il veut tout savoir.

“Lorsque quelqu’un est mort, dit maman,
on le dépose dans un cercueil, tout en bois,
dans lequel on a disposé des coussins très doux.
Puis le cercueil est déposé dans une tombe,
un trou profond dans la terre.
On peut aussi brûler le cercueil et mettre les cendres dans une urne.”
“Grand-père ne va pas avoir peur ?” demande Nicolas.
“Non, dit maman. Quand on est mort, on ne sent plus rien.”

Le monsieur a sorti des livres de sa serviette.
Il feuillette un catalogue avec grand-mère.
“Peux-tu venir m’aider ? demande-t-elle à Nicolas.
Nous allons choisir des fleurs.”
Grand-mère prend Nicolas sur ses genoux.
Le livre est plein de fleurs aux couleurs tendres.
“Nous allons en choisir de très belles, dit Nicolas.
Les plus belles fleurs pour le plus gentil grand-père du monde.”

Maman explique : “Grand-père a été conduit dans un bâtiment
où il repose maintenant dans son cercueil.
Mais le cercueil n’est pas encore fermé
et nous irons le voir une dernière fois.”
“Moi aussi, dit Nicolas. Mais est-ce que cela fait peur ?”
“Tu viendras avec moi, si tu le désires, dit maman.
Cela ne fait pas peur, c’est juste
comme si grand-père dormait profondément.”

“Nous allons envoyer une carte à tous les gens que grand-père connaissait pour leur annoncer sa mort”, dit maman.
“Est-ce que grand-père sera transporté
dans cette grande voiture ?” demande Nicolas.
“Oui”, dit maman.
“C’est bien, pense Nicolas, c’est très bien.
Grand-père a droit à une grande voiture
parce que grand-père c’était quelqu’un de très bien.”

“Maman, demande Nicolas, où va-t-on quand on est mort ?”
“Eh bien ! soupire Maman. Je vais essayer de t’expliquer !
Vois-tu, grand-père est mort, il n’est plus là.
Mais aussi longtemps que nous penserons à lui,
ce sera comme s’il était avec nous.
Et toi, tu n’oublieras pas grand-père, n’est-ce pas ?”
“Jamais, dit Nicolas résolu. Tu sais,
grand-père restera dans mon cœur toute la vie.”

Nicolas se rappelle comme grand-père le gâtait.
Avec des bonbons, des glaces et plein d'autres bonnes choses.
Et grand-père répondait à toutes les questions. Même aux difficiles.
"Maman, dit soudain Nicolas, grand-père sait-il qu'il est mort ?"
Elle reste un moment silencieuse.
"Eh bien, je ne crois pas, dit-elle. Quand on est mort,
on ne sait plus rien, donc on ne sait pas qu'on est mort.
Mais ne te tracasse pas. Va plutôt jouer dehors."

“Ne te tracasse pas comme ça, c’est vite dit ! pense Nicolas.
Grand-père, qui savait toujours tout,
ne sait pas qu’il est mort.
Et maintenant, je ne peux même plus le lui dire
parce qu’il n’est plus là.
C’est quand même très grave
que grand-père ne sache pas qu’il est mort.
Je dois le lui dire. Mais comment ?”

“Comme tu as l’air triste, Nicolas”, dit la voisine.
“Je cherche mon grand-père, pour lui dire quelque chose”, dit-il.
“Et tu ne sais pas où est ton grand-père ?” demande-t-elle.
“Personne ne sait où il est, raconte Nicolas. Il est mort.”
“Oh ! s’étonne la voisine. Ton grand-père s’en est allé ?”
“Non, il n’est allé nulle part. Il est mort”, répond Nicolas.
“Ton grand-père est sans doute monté au ciel, ajoute la voisine.
Certaines personnes disent cela.”

La voisine va s'asseoir à côté de Nicolas.
"Beaucoup de personnes ont peur de la mort,
c'est pourquoi elles emploient d'autres mots pour en parler.
Elles disent par exemple : il est monté au ciel."
Ensemble, ils regardent en l'air.
Pas de grand-père à l'horizon.
"Non, dit Nicolas, il n'y est pas non plus."

Nicolas réfléchit aux mots prononcés par la voisine.
Grand-père serait donc installé au ciel.
Il se dit que “le ciel” c’est peut-être le nom d’une ville.
“Dans ce cas, pense-t-il, je peux faire quelque chose.
Je peux téléphoner à grand-père.”
Il se dirige vers la commode de la chambre, ouvre le tiroir
et attrape le répertoire téléphonique.

Papa a tout de suite compris ce que Nicolas veut faire.
“Tu ne peux pas téléphoner à grand-père, dit-il.
La seule chose que tu puisses faire, c’est penser à lui très fort.
Si tu veux, je vais demander à grand-mère
de te donner les poissons rouges de grand-père.
Tu pourras t’en occuper et, rien qu’en les regardant,
tu penseras à grand-père.”

Nicolas n'arrive pas à trouver le sommeil.
Il se tourne et se retourne dans son lit. Il pense à grand-père.
"Être mort, c'est quelque chose de grave", se dit-il.
Il essaie de s'imaginer comment on se sent quand on est mort.
Il reste immobile, mais n'y arrive pas très longtemps.
Quand on est vivant, on ne peut pas imiter une personne morte.
Alors, il pense aux poissons rouges de grand-père,
et ça lui fait chaud au cœur.

Nicolas pousse un profond soupir.
Il se tourne sur le côté.
Comme ça, il peut regarder grand-père,
car il a mis sa photo sur la table de nuit.
La veilleuse donne assez de lumière.
Il voit grand-père qui lui sourit.
“Il ne sait pas qu’il est mort, pense Nicolas,
autrement, il n’aurait pas l’air si joyeux.”

Soudain, il a une idée : s'il écrit une lettre à grand-père
et qu'il la dépose dans le cercueil,
lorsqu'ils iront tous le voir une dernière fois demain,
la lettre ira peut-être toute seule
là où se trouve grand-père maintenant.
Et si grand-père lit la lettre, il saura.
Nicolas trouve son plan génial.

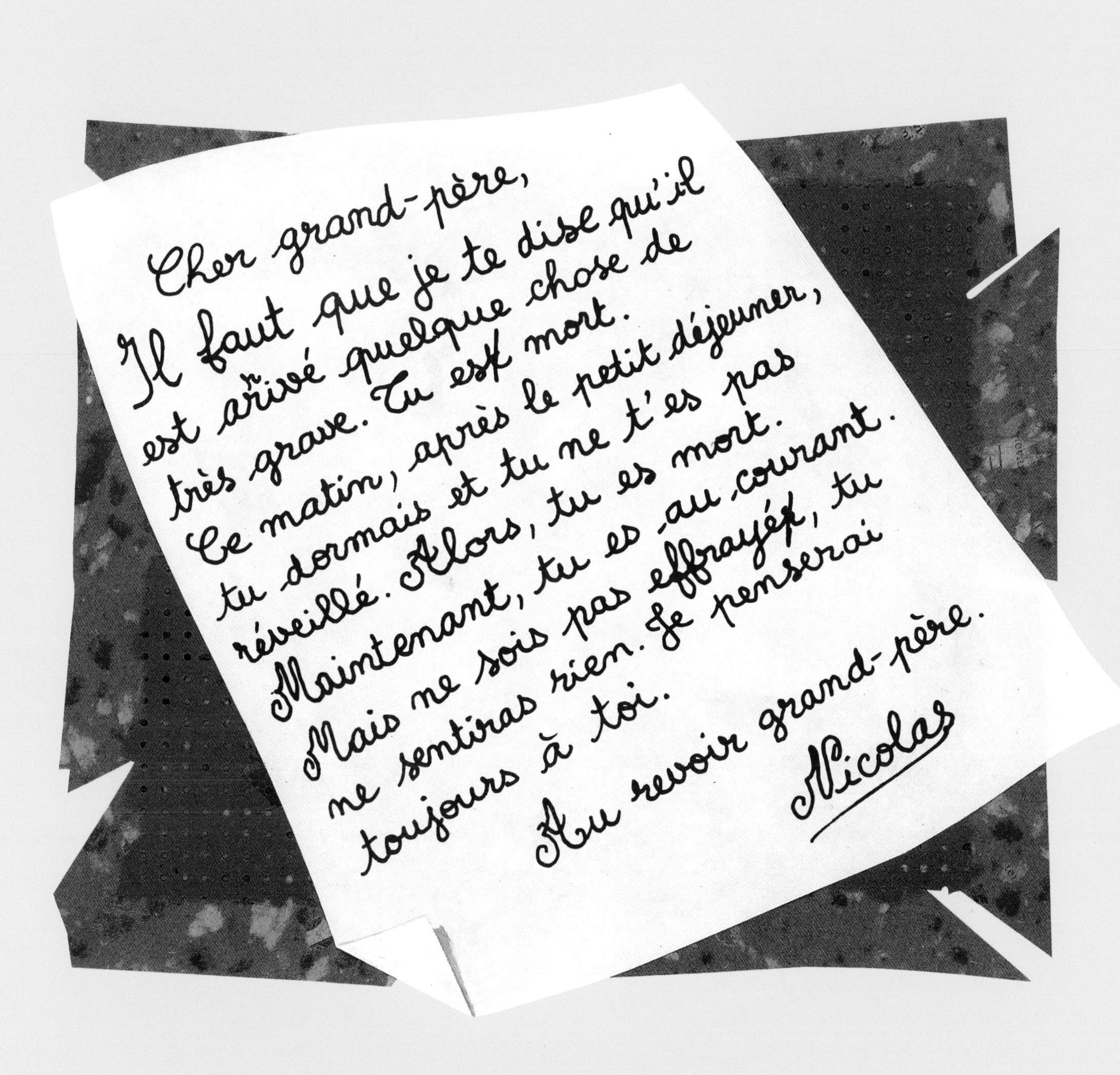

Cher grand-père,
Il faut que je te dise qu'il
est arrivé quelque chose de
très grave. Tu es mort.
Ce matin, après le petit déjeuner,
tu dormais et tu ne t'es pas
réveillé. Alors, tu es mort.
Maintenant, tu es au courant.
Mais ne sois pas effrayé, tu
ne sentiras rien. Je penserai
toujours à toi.
Au revoir grand-père.
Nicolas

"Cher grand-père,
Il faut que je te dise qu'il est arrivé quelque chose de très grave.
Tu es mort. Ce matin, après le petit déjeuner,
tu dormais et tu ne t'es pas réveillé. Alors, tu es mort.
Maintenant, tu es au courant. Mais ne sois pas effrayé,
tu ne sentiras rien. Je penserai toujours à toi.
Au revoir, grand-père."

Nicolas rêve. Devant lui, le poisson rouge va et vient
dans le bocal. D'un seul coup, il se met à nager droit vers Nicolas.
Ce poisson a maintenant le visage de grand-père.
"Nico, Nico !" dit le poisson en faisant des bulles.
Le verre reflète le large sourire de Nicolas.
Grand-père a l'air de sortir de l'aquarium.

Le rêve de Nicolas se poursuit. Il entend frapper à la fenêtre
et, derrière la vitre, il voit son grand-père.
Tout en dormant, Nicolas se lève et ouvre la fenêtre.
“Ohé !” dit grand-père.
“Grand-père !” crie Nicolas.
Mais il est déjà trop tard. Grand-père s’éloigne peu à peu.

Nicolas attrape la lettre sur la table de nuit.
“Grand-père, attends ! crie Nicolas, j’ai une lettre pour toi.”
Mais grand-père a presque disparu.
Nicolas lui tend la lettre par la fenêtre
et sent qu’elle lui échappe.
À ce moment, une main chaude se pose sur son épaule.
Nicolas est maintenant bien réveillé, c’est la main de papa.

“Tu es sorti de ton lit, et tu as ouvert la fenêtre”, dit papa.
Dans la tête de Nicolas, tout est un peu en désordre.
“J’ai vu grand-père”, essaie-t-il de dire.
“Oui, oui, dit papa doucement. Tu as rêvé.”
“Je l’ai vraiment vu, dit Nicolas. Il était ici.”
“Calme-toi, maintenant, murmure papa,
et retourne te coucher.”

Lorsque papa s'en va, Nicolas allume sa lampe de chevet.
Il adresse un dernier regard à la photo de grand-père.
Et là, que voit-il ?... La petite lettre a disparu.
"Alors, je n'ai pas rêvé ! se dit Nicolas. Tant mieux.
Maintenant, grand-père va pouvoir lire la lettre."
Avec un soupir de soulagement,
l'enfant s'enfonce dans les draps et s'endort aussitôt.

Dehors, le vent souffle.
La lettre se balance dans le vent.
Elle tourbillonne dans la nuit bleue.
Le vent l'emporte de plus en plus haut.
On ne distingue plus à présent
qu'un tout petit point blanc.
Juste comme un oiseau volant vers son nid.